아빠가 지휘하던 우주 전함이 머나먼 우주에서 우주 괴수의 습격을 받아 전멸한 것이다.

KB088320

2015년 12월 20일. 우주 전함의 함장이었던 아빠가 돌아가셨다.

STAGE.01

나는 파일럿 양성과가 있는 오키나와 여자 우주 고등학교에 입학하기로 결심했다.

JAN.co.jp

홈 모토 기사

인류 최초의 초광속 전함 전멸

2015.12.20. Sun posted at. 15:12 JST Updated

인류 최초의 초광속 전함으로서 우주로 출항한 록시온 함대가 전멸했다. 하나로 47명이 기적적으로 생환하였으나 남은 승무원 53명 원회에서는 타카이 제독의 판단 착오를 놓고 조사를 이어가고 있다.

그렇지만 아빠는 내 마음속에 살아계셔.

나 역시 우주 파일럿이 되기 위해서—

아빠의 유지를 이어

오키나와 여자 우주 고등학

입학식

STAGE.01

CONTENTS

꺄아아아아아아악!!

괜찮니, 타카야?

하아, 또야…?

응성

그게… 타카야가 발을 헛디뎌서 방화용 저수조에….

—무슨 일이니?!

툭 툭 툭

한심하기는.

누가 전멸딸 아니랄까봐.

으… 으응….

이래서야
파일럿이
되기는커녕

하아….

낙제
걱정부터
해야겠네….

오키나와 여자 우주 고등학교 1학년
타카야 노리코

삑

노ー리ー코ー!

흐익!!

차

뚝

타

악

벽을 돌파하라는 게 이 벽이 아냐, 이 전멸딸아아아!!

꺄아아아아악! 내 방이!!

으응….

기숙사 옆의 뻥 뚫린 구멍인걸…!

…그치만 쾅하고 부딪쳤던 걸과가

어우, 노리코도 차암!

그런가….

다른 애들도 별반 차이 없잖아. 앞으로는 더 나아질 거야!

머… 머신 병기에 탄 지 아직 한 달밖에 안 돼서 그래.

….

어릴 때부터 항상 그랬잖아.

그때 노리코가 얼마나 노력했는지는 내가 제일 잘 알아.

그러기 위해 열심히 노력해서 오키 여고에 들어오고…

꼭 우주 파일럿이 되겠다고!!

존경하는 아버님의 뒤를 이어서

그러니까
노리코라면
반드시
할 수 있다고

난 믿어!

그래,
맞아…

….

내가
파일럿이고
키미코가
오퍼레이터.

그리고
우주의 끝과
지구를
잇는다고
했었지!!

응!

나 노력할게!

키미코와 함께 하는 꿈을 이루기 위해서도

ㅅ탕

땅

땅

앗.

다음 수업은 체육이었지~~

으응~

파일럿 후보생은 체육이 많아서 힘들겠다....

소문으로는 오늘은 신임 코치를 소개하는 날이래.

응...?

신설되는 우주군의 후보생 두 명을 선발하러 온다던데?

그렇구나!

그럼 나중에 또 봐.

응, 열심히 해!

와아! 과연 오키 여고 No.1 파일럿!! 다른 한 사람은 누가 되려나?

한 명은 3학년의 카즈미 언니로 정해진 것 같고,

뭐, 나랑은 상관없는 얘기겠네….

와~.

다들 오키 여고 No.2인 카시하라 선배일 거라고는 하는데….

오늘부터 학생들은 새로운 선생님 밑에서 배우게 됩니다.

아~~~~~ 어흠.

그럼 선생님 잘 부탁 드립니다.

머신의 조종은 물론 개발에도 참여한 스페셜리스트 입니다.

선생님은 우주군의 중령이시며

우린 이제 막 배우기 시작했는데.

진짜로 낙제 시키지는 않겠지…?

되게 엄할 것 같다.

먼저 그 썩어빠진 정신 상태부터 바로잡아주지!

그런 나태한 마음가짐으로 우주에 나갔다간 곧바로 죽기 십상이다!

모두 조용!!

네에에에?!

우선은 연병장 50바퀴!!

네…
네에~~
~~~.

그럼
어서 뛰지
못해?

아…
아뇨!!
장난하는 거
아닙니다!

거기
1학년!
지금
장난하냐?!

......

왼쪽…
아, 아니
오른쪽…?

어디
더라…
오른쪽…

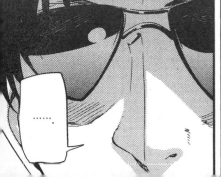

......

우왓챳
챠챠----.

어라…
라…?

또 나만 혼자 남았어….

……

나한테는 주제넘은 꿈이었을까….

역시 파일럿이 되겠다는 건

뭘 꾸물거리고 있나?!

어서 달리지 못해?

네… 네에!

짐을 챙겨서
당장
돌아가도록!

예…?!

…

아….

하나둘

……

노ーー
리코!

이런 데서
뭐 하고
있어?

키미코와의 약속도 못 지킬 것 같아….

역시… 나한테는 재능이 없었나 봐….

!!

나… 낙제래….

….

미안해….

어딜 데려가려는 거야?

자, 잠깐 키미코.

잠깐 따라와 봐!

걱정하지 말고

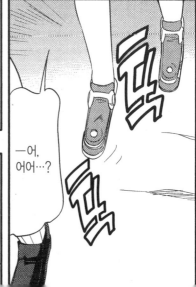

—어, 어어…?

Go!!

레디...

온 유어
마크.

뭐라
해도...

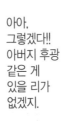
아아,
그렇겠다!!
아버지 후광
같은 게
있을 리가
없겠지.

아...
아버지는
상관없어요!

전멸시킨
장본인이니까!

인류의
기대를 안고
출항한
'룩시온'
함대를

!!

그만두지
못해?!

—아냐.

역시 피는
못 속인다고
해야 하나?

무능한 부분은
그대로
물려받았나 봐.

아빠는
훌륭한—.

너희도 파일럿이 되고자 한다면

자긍심을 갖도록 해!

죄송합니다!

…죄,

히익… 웃….

으르르르

어째서—?

—언니가 나를…

빙 글

네가 타카야 노리코구나….

지금까지 여러 모로 고생 많았지….

예…? 아…

아뇨… 그게, 저어… 이제 익숙해 졌어요….

그… 그런 가요….

도저히 아버지에겐 못 미치는 모자란 딸이지만요….

후후훗. 타카야 제독님은 나도 존경하는 분이거든.

—그보다, 어떻게 제 이름을…?

기숙사 벽에 들이받지를 않나…

매번 넘어지기나 하고

재능이… 없나 봐요.

그럼.

네? 그러셨어요?!

…후훗.

나도 처음에는 자주 넘어졌지.

동경하는 언니에게 선물까지 받고 말야.

잘됐다, 노리코!

키미코… 난 중요한 사실을 잊고 있었나 봐….

그대로 풀죽어 있었다면 언니와 얘기를 나눌 기회도 없었겠지….

…응.

그 사실을 키미코와 언니가 깨닫게 해줬어―.

고마워….

난 여전히 파일럿을 동경하고 있는 걸…!

나에게 재능 따윈 없어. 다른 사람들 모두가 날 무시하지만

언니에게 한 걸음이라도 다가가기 위해서라도,

언제나 응원해주는 키미코를 위해서라도,

…그래, 맞아. 역시 난 파일럿이 되고 싶어…!

도저히 파일럿을 포기하고 싶지 않아요!!

하지만… 그렇다 하더라도 저는…

저에게 재능 따위는 없습니다….

부탁드립니다, 코치님!

저에게… 한 번만 더 기회를 주세요!

……

좋다….

코치님…!

단!

딱 한 번만 기회를 주지.

너 자신의 몸으로 해낸다면 고력할 수도 있다.

내가 부과하는 모든 훈련을

!!

머신에 타는 건 허락 못 해.

…맨몸으로 해내겠습니다!!

무리라고 생각한다면 포기해도 상관없어.

그냥 너의 각오가 그 정도밖에 안 된다는 소리니까.

알겠습니다.

…아,

좋아…. 그럼 다면, 연병장 50바퀴부터다!

오…

으… 힘들어….

─하지만 힘내야 돼ㅠㅠ!!

50바퀴 완주….

그럼 다음! 팔굽혀펴기 200회!

그래….

헉헉

다… 다 돌았습니다….

헉헉

…아니요….

당연하지.

아니면 그만 포기할테냐?

예…? 지… 지금 바로요…?

아빠의 뜻을 잇기 위해서도.

이… 백….

해내는 거야!

199

198

혼자가 아니니까—!

동경하는 언니에게 한 걸음이라도 다가가기 위해서도.

끄으아아

키미코와의 약속을 지키기 위해서도.

꾸물거리지 마라! 20회 추가!!

다음은 대시 200회.

늦어!

나는…

끄, 끝났습니다….

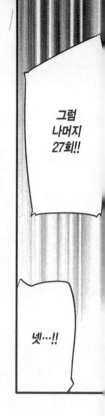

그럼
나머지
27회!!

넷…!!

해냈다…!

…해,

수고했어!!

이… 이젠
손가락 하나도
못 움직이겠어
…

아하하… 그렇지만 말야.

노리코는 매번 너무 무리를 한다니까.

키미코….

!

기껏 키미코랑 언니가 응원을 해줬는데

헛되게 하고 싶지 않았거든.

…아.

꼬르륵~

노리코….

….

응! 갈래, 갈래!

!

돌아가는 길에 뭐 좀 먹으러 갈까?

하아… 노리코도 차암….

……!

으아아아….

어젠 너무 무리했나 봐,

끄응…, 온몸에 근육통이 ~~,

앗, 노리코! 뉴스야, 빅뉴스!

흐아암… 여보세요….

…얘는 또 왜 아침부터 전화람….

키미코

얘가
정말….
대체
무슨
일이야…?

진짜
끊었네
…?

바보 같은
소리 말고
지금 당장
게시판이
있는 곳으로
와!
끊는다!

뚝

왜?
우리 학교에
사자라도
쳐 들어왔어?

흐아앙…

욱
성

욱
성

욱
성

아침부터
무슨
일이길래
이 난리야?

아,
노리코!
여기야,
여기!

허윽~~
삭신이
쑤신다
~~….

욱
씬

씬

흐아
아암.

으으음,
뭐야?!
아래 적힌
두 명을…

됐으니까,
저걸 좀 봐.

STAGE.02

언니랑…

2021년 6월 23일을 기해 아래 적힌 두 명을 연합 우주군 규정 제60조 2항에 의거, 제3차 신조 로봇 계획 파일럿 후보생으로서 오카나와 고교 여자부 대표로 선출. 제국 우주군 소위로 임명한다.

고등과 대표

여자부 3학년 아마노 카즈미
여자부 1학년 타카야 노리코

또한 상기 두 명은 동년 7월 7일, 제국 우주군 위성 궤도 기지 실버 스타로 전학하게 됨을 알린다.

어…

나?!

언니의 파트너란 말야?!

내가—

STAGE.02

괭장
하다…
믿을
수가
없어!!

거짓말…!
어떻게
이런 일이….
내가 언니의
파트너…?!

친구로서
나도 콧대가
높아지는걸?

아…
으응…!

혹시
나 같은 게
파트너면
언니한테
방해가 되진
않으려나…?

그치만
민폐만
끼치는
건…

오키 여고 대표로
우주 파일럿
후보생이
되다니!

괭장하다,
노리코!!

이걸로 나도
동경하던
우주 파일럿이
될 수 있어…!

그래,
키미코의
말대로야.

정말
축하해,

노리코.

꿈에
한 걸음
가까워
졌어요
...!

아빠...
나...

응!

저기 쟤야.
전멸딸.

쑥덕...!

쓱
덕

전멸딸보다는
내가 더
조종 잘하는데.

말도
안 된다니까.
왜 쟤가
뽑혔지?!

쓱
덕

왔다!!
오키 여고
대표님
등장이셔.

전멸딸 못생긴 게

왜 너 같은 게
뽑히냐고!!

어째서…….

어……

카… 카시하라 선배…?

넵

네? 아, 저기—….

흐응…

…

데리고 따라와.

전멸딸도 이제 끝장이네.

아아… 카시하라 선배한테 찍혔나 본데…?

시, 싫어요…!

전 수업이…!

뭐 해? 어서 오지 않고!

시

콰

앙

설명 좀 해보실까?

자아…

당연히 선발 얘기지!

어째서 너 같은 게 우리 학교 대표냐고?!

무, 무슨 설명 말이에요…?

저… 저도 잘 모르겠어요….

…있잖아, 타카야….

한번 혼나봐야 정신 차릴래?

어디서 시치미를 떼?!

난 그저 사실을 알고 싶을 뿐이야.

괜히 시간
빼앗아서
미안하네….

…알았어.

….

그래….

…방침
변경이야.

이렇게
된 이상—….

저대로
보내도
괜찮으시
겠어요?

카시
하라
선배.

각오
하라고.

마지막까지
가서
끝장을
봐줄 테니

전 멀쩡해
왜 너 같을 게
뽑히냐고!!

이런
꼴을…

그런데
왜 나만

설마
카시하라
선배까지
날 원망할
줄은…

난 아무것도
잘못한 게
없는데.

나를
선택한
걸까…?

도대체
코치님은
왜…

댕―동

땡―동

동

...
있잖아,
노리코.

...응....

모처럼 잡은
기회잖아.

기운 내,
노리코,

내 나름대로
선발된 이유를
생각해봤는데
말야...

...왜?

혹시
노리코를
마음에 들어한
카즈미 언니가

코치에게
노리코를
추천했던 건
아닐까?

그런
말도
안 되는
일이...?!

...그래?

그...

...!!

언니에게 열심히 하자는 말을 들은 직후에 대표로 선발됐다는 발표를 봤다.

이런 우연이 있을까….

있을 수 없는 얘기는 아니잖아.

어쩌면 어제 노리코를 구해준 것도 그런 이유였을지 모르고.

에… 에이, 설마! 아하하 하하.

…그렇지만 생각해 보면…

…….

…그럴 리가 없지.

그렇다면 혹시 정말로…

언니가 나를―?!

방과 후

자료 빌려서 어서 돌아 가야겠다.

응?

우와, 갑자기 쏟아지네.

이해가 안 됩니다!

이 목소리는… 언니!!

랑 코치님?

어… 어쩌면 정말로 언니가 나를…?!

저는 코치님이 무슨 생각을 하시는지 모르겠어요!!

왜 그런
미숙한
아이를

어떤 이유라도 있는 겁니ㅡ.

…아니면, 그 외에 사람들에게 말하지 못할

거기까지만 하도록!!

…

잠깐만요…!! 아직 끝나지 않았습니다 ……ㅡ!

명확한 설명을 ㅡ…!!

어쨌든! 이 일에 대해서는 더 이상 너에게 해줄 말은 없다!!

카즈미 언니잖아?

난 대체 무슨 망상을 했던 걸까….

…그래ㅡ.

그게 당연하겠지.

딸
깡

一아얏!

...돌아
가자….

응…
괜찮아.

실력도 없는 게
주제도 모르고 죽어

뚝

후둑

노리코?

...

왜 그렇게
미숙한 아이를
뽑으신 거죠?!

...윽...
흐으윽...

으아
아아
아아
아앙.

또
옥
똑

노리코?!

왜 그래?!
무슨 일
있었어??

으아아아
아아아앙.

완전히
미움을
받아버린
거야...!!

난
언니 마음에
들기는커녕

언니가...
왜 저런 애를
뽑았냐면서...!

흐끅...

아... 아까,
코치님이랑
언니가
말하는 걸
들었는데...

몇 배나 더
낙았어!!

이렇게
될 바에는
차라리…

대표로
뽑히지
않는 게

…사실은
나도
노리코가
뽑혀서

싫었단
말야….

…

노리코가
하면
안 돼….

…그런
말을

노리코가
우주로
떠나면

…뭐?!

우린 서로
헤어지게
되는 걸….

…그렇잖아….

하지만
그런 마음을
꾹 참고
응원하는 건데

나도
노리코와 함께
고교 생활을
보내고 싶어.
헤어지고 싶지
않아.

…키미코….

어쩌란
말야….

노리노가
그런 말을
하면

—어머나.

까악!

카즈미 언니와
함께
우주로
갈 거라고요!

노...
노리코는
그만두지
않아요!

쯧.

키미코!!

너는
잠자코
있어! 안경
너구리!!

짜증나게
착한
척하기는.

어차피 너도
얘 연줄 덕 좀
볼까 싶어서
붙어다니는
거잖아.

그 이상도
이하도
아니라고요!

저는
노리코의
친구라서
같이 있는
거지,

아...
아니에요!!

이 어린 계집애가!

...대체 뭐냐, 넌...—?!

...이게 ...감히 누구한테 ...!!

사흘 뒤의 합동 연습이 끝나고 나서 나와 머신 병기로 결투를 벌이는 거야.

...그럼 이렇게 할까...?

...그래, 좋아...

그 대신!

만약 네가 이긴다면 사과든 뭐든 원하는 대로 해주지.

오키 여고의 대표씩이나 되면서 설마… 도망치지는 않겠지?

네가 졌을 땐 얌전히 오키 여고 대표의 자리를 나에게 넘기도록 해.

이거라면 어때?

….

알겠습니다.

그 승부

죽여버리겠어!!

받아들이도록 하죠!

STAGE.03

어제는
미안했어,
키미코….

난
괜찮아….

아…
아냐….

나 때문에
그런 일에
휘말리고….

그래서야
평생 가도
사과 한마디
못 들을 것
같으니까,
얘기만 잘하면
알아주실 거야.

어… 어제는
너무 흥분해서
카시하라 선배한테
이기면
사과하라고
말했지만,

그러니까 키미코는 너무 신경 쓰지 않아도….

…….

아… 으… 으응….

그건 상관 없는데….

미, 미안. 그럼 나 먼저 갈게.

먼저… 가도 될까?

나… 나, 오늘은 볼일이 좀 있는데…

…있잖아, 노리코.

응…? 어, 왜?

…키미코….

…….

…카시하라 선배.

키미코에게 그런 모욕적인 말을…

절대로 용서 못 해….

연줄 덕 좀 볼까 싶어서 붙어다니는 주제에.

아무리 생각해봐도 상대가 될 리 없잖아. 창피나 당하고 끝날 게 뻔해….

그렇지만…

내가 카시하라 선배와 대결이라니.

키미코…?
저기서
뭐 하는
거지?

어라…?

…어떻게
싸우지
않고
해결할
방법은
없으려나.

하아….

…!
울고
있잖아
…?!

나 같은 애랑
같이 있는
바람에
키미코까지
욕을 먹고
상처받은
거야…

…내
탓이야….

미안… 미안해, 키미코….

타카야.

너, 3학년의 카시하라 선배와 대표 자리를 걸고 대결한다면서?

…아… 응?

…어?

그야 당연히

어떻게 그걸…?

전멸딸, 카시하라 선배와 결투!

1. 작성자 : 어딘가의 우치나 [2021/06/2 3 22 : 30]
전멸딸과 카시하라 선배가 오키 여고 대표를 걸고 싸우기로 결정.

541 작성자 : 어딘가의 우치나 [2021/0 6/24 08 : 12]
천국에서 지옥으로 나락가는구나. 꼴 좋다.

542 작성자 : 어딘가의 우치나 [2021/0 6/24 08 : 16]
기껏 몸 팔아서 오키 여고의 대표가 됐는데 아쉽겠어.

이걸 보고.

─!!

…그런가

아냐, 아냐. 의외로 어떻게 될지 모르잖아?

순식간에 끝날 텐데.

아하하, 무슨 맘에도 없는 소릴 하고 있어?

잘 해봐!

모레의 대결, 다들 기대하고 있어.

과연 타카야니까. 도전해오는 사람은 안 막는 이거지?

나는 이제

카시하라 선배와 싸울 수밖에 없게 됐구나.

…그래.

그 소문, 학교 전체에 퍼진 모양입니다.

모두의 의견을 들어보도록 할까?

오키 여고 대표에 누가 더 어울리는지

씨익

전멸딸!!

어때…?

왓,

점심
시간

으극,

꺄아아아아악!

아야야야….

아야아아악!

ㅡ크윽.

어떻게 이기겠다는 소릴…

이래 가지고

…진짜 못한다, 나.

아이들의 괴롭힘도 더 심해져서 학교에 있기 힘들어 지겠지….

오키 여고의 대표 자리는 당연히 박탈.

카시하라 선배에게 지면, 난 어떻게 될까….

언니도 날 싫어하게 됐고… 더구나,

…애초에 내가 선발된 것 자체부터 잘못이었어….

키미코도 분명 용서하지 않을 거야.

어제 그렇게까지 큰소리를 쳐놨는데 져버린다면

…대결 같은 거, 받아들이지 말걸 그랬어….

전부 잃어버리는 걸까.

친구도…

나는 내 손으로 파일럿이 된다는 꿈도

바보야, 나는….

더 냉정하게 판단해서 다른 방법을 생각해봤어야 했는데—!!

기껏 얻어낸 파일럿 자리도 잃고, 키미코에게도 상처만 주고 끝나버린다니…!

받아들여 봤자, 어차피 질 게 뻔하잖아.

바보야!

―포기하는 거냐?

아무리 해봤자 변하지 않는다면

이런 내가 싫어….

이제… 그만 됐겠지…?

히구치는
너의 힘이
되어
달라면서

아침부터
내 방에
줄곧
앉아있었다.

!!

키미코!!

노리코
…
…저어,

그런
약속까지
하게
됐잖아.

그치만…
나 때문에

왜
키미코가
사과를
해…?

…?!

미안해!!

나는…
나는….

할 수 있는
거라곤
코치님께
부탁하는 것밖에
없어서,

노리코의 힘이
되어주지도
못하는데….

나는 항상
지켜보기만
할 뿐

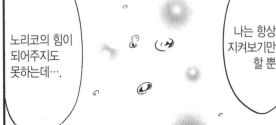

코치님.

......

생기지도 않았을 일이잖아….

이번 일도, 애초에 내가 선발되지만 않았다면

코치님은 어째서

저를 오키 여고 대표 파일럿으로 뽑으셨나요?

나는 네 과거나 출신에 아무런 관심도 없다.

미리 말해 두지만,

역시 제 아버지ㅡ.

그렇다면 어째서…?

저에게는 아무런 재능도 없는데…!

저는 카즈미 언니 같은 천재와는 타고난 능력 자체가 달라요!

아무리 연습을 한다고 해도

재능이 〇이면 몇을 곱해봤자 〇이잖아요.

제가 선발된 것 때문에 키미코까지 심한 소리를 듣고….

그런 소리지?

…네.

지금 아마노에게는 재능이 있고 너에게는 재능이 없다.

…그래서?

…?!

지금 너에게 부족한 것을 보여주마.

수업이 끝나면 날 따라 오도록.

…

방과 후

까악

봐라,
타카야…!

…코치님은
이런 곳에서
나에게
뭘 보여
주겠다는
거지…?

저것이
바로

너에게는
없는
모습이다!!

…

학교에선
그 어떤 훈련을
받더라도
절대 숨이
흐트러지지
않았는데.

언니가
저렇게
괴로워하는
얼굴은
처음 봐.

…그렇
게나?!

이것이
아마노의
일과다.

이 모든
것을
아침과
밤에
3세트씩.

스쿼트
100회.

줄넘기
200회.

물구나무
서기 3분간
4회.

돌계단
전력 대시
50회.

도대체
얼마나
달린
거죠?

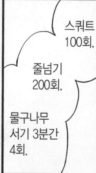

대체 왜
저렇게까지….

언니는
벌써 충분히
강한데,

아마노는 머신의 조종 기술과 순발력은 우수하지만,

그에 비해 내구력과 근력은 약간 떨어지지.

그 부족한 부분을 채워넣기 위해 스스로 노력하고 있는 것이다.

언니가…

뭐…?

노력을 …?!

알겠냐, 타카야?!

하지만 그건 타고난 것이 아닌 저 녀석 자신의 노력으로 형태를 이룬 재능이다.

아마노에게는 분명 재능이 있어.

…그러나

분명 0에는 뭘 곱해봤자 0이지.

0에 1을 더하면

그건 확실한 1이 된다.

너에게는 더해야 할 노력이라는 부분이 빠져있기 때문에

언제까지나 0인 상태 그대로인 거야!!

......나는 왜 그런 착각을 했던 걸까?

그저 한 단면만 보고 천재라며 추앙했었어...

더 좋아지기 위해 노력하는 자세야.

중요한 건 실패에서 배우고

언니의 필사적인 노력에는 눈길도 주지 않은 채

그러니까 한 걸음도 나아가지 못했던 거야...!!

그러면서 나에게는 재능이 없다는 변명만 늘어놓으며 힘든 일로부터 도망쳤을 뿐—!

제가
이기고
싶은 건
나약했던
지금까지의
저 자신…

…

아니요.

…지금
상태라면
카시하라에게
이기는 건
쉬운 일이
아니겠지.

…코치님,

제가…
이길 수
있을까요…?

꾸
악

지고 싶지
않아요…!

저는 이제
저 자신에게
만큼은

좋아. 그런 마음가짐이라면 온 힘을 다해 따라오도록!

넷!

다음 날—

언니...。

언제나
밸런서를
의식해라!!

네!

다행이다,
노리코…

하아아압
!!!

다시
일어섰구나…!

아하하하핫, 어차피 쓸데없는 노력인데 뭐ー.

아, 아니… 전멸딸 치고는 열심히 한다 싶길래.

늦어! 다시 한번!

네, 코치님!

…

으… 으응….

어서 돌아가자.

왜 그래?

카… 카시하라 선배!

맹특훈을 하고 있어요!

전멸딸이 코치를 같은 편으로 끌어 들여서…

무슨 일인데?

네… 네에?

그게 뭐 어쨌다고? 내버려 둬.

그게,

걱정하지 않아도 내일이 되면

고작 그런 벼락치기로 날 어떻게 할 수 있을 것 같아?

그렇게까지 평가하신 타카야의 실력.

지금은 나를 믿도록.

?!!

똑똑히 지켜보도록 하겠어요.

코치님!

분명 지금의 너에게는 머신을 조종하는 재능이 전혀 없다.

타카야…

오른팔의 클러치는 풀지 않도록!

넷!

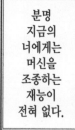

그렇지만 너는 그 누구에게도 지지 않는 강한 무기를 갖고 있어.

너에게는 아마노와 나란히 설 힘을 가지고 있으니까.

타카야! 노력해서 그 재능을 갈고 닦아라!!

다음, 스쿼트 50회!!

그건 바로 그 끈기다!

너희에게 맡기면 되겠지….

버스터 머신,

다시 한 번! 일어나!

아마노와 함께 우주로 가라!

까아아악!!

…지지 않겠어…!

크윽.

네… 넷!

언니에게 한 걸음이라도 더 다가가기 위해서도.

나는 두 번 다시 나 자신에게 지지 않아… 껍질을 깨부술 거야…!

꿈을 거머쥐기 위해서도!!

이기겠어!!

나는 반드시

NEXT STAGE

…드디어 오늘 이구나.

…….

좋은 아침, 노리코.

좋은 아침.

…응.

카시하라 선배는 만만한 상대가 아냐.

…연습 좀 했다고 이길 수 있을 만큼

그렇게나 열심히 노력 했으니까, 분명 잘되겠지?

저기… 자신은 좀 있어…?

거기엔 아무런 후회도 없어.

—뿐만 아니라

내 걱정 이라면 안 해도 돼.

난 오늘까지 할 수 있는 건 전부 다 했으니까.

—그, 그래도.

키미코.

반드시
다음으로
이어진다는 걸
알았으니까.

여태껏
쌓아온
노력은

어떤 결과가
나온다
하더 라도

…좋았어.

그렇
구나.

….

그야 당연히
'노리코
파일럿 취임
축하 기념'
이지!!

뭐어?!
축하라니,
뭘 축하
하는데?

축하하는
의미로
특제 케이크를
만들어
줄게!

오늘
시합이
끝나면

노리코 자신이 진심으로 믿는다는 뜻이야.

이걸 축하하는 거지ー!

그 얘기는, 머지않아 파일럿이 될 거라는 것을

...방금 노리코가 그랬잖아. 다음으로 이어진다고.

하지만 100% 이긴다고는....

에헤헷♡

그런...가? 고마워.

웃....

오늘 열심히 응원할게,

노리코.

...응!

약한 사람 괴롭히는 것처럼 보이지는 않을까 불안하거든.

실력 차이가 너무 나서

그 후로 실력이 조금은 늘었어?

카시하라 선배 너무 웃겨요.

아하하 하하 하핫.

퍼엇

하다못해 걸음마 정도는 떼고 왔으면 좋겠는데 말이야.

제가 가진 모든 힘을 다해 싸운다.

단지 그것뿐이에요.

...저는

잊지 않았겠지 ...?

이긴 쪽이 정식으로 오키 여고 대표로 취임한다는 조건

...그래 ....

...흥, 건방지게....

노리코!
힘내!!

응!

알고
있어.

까하
하핫.

진짜로
하면
불쌍
하잖아요.

자아,
그럼

시작하지.

너무 강렬한
기술로 초반에
항복하게
만들면
재미없을 테니

킥킥킥
킥킥—.

이떤
식으로
고통을
줘볼까~.

어디—

다운되지
않을 정도로만
야금야금
가지고 노는 게
좋겠네.

나에게
수치를 준
대가,
그 몸으로
확실히
갚도록
해주지—.

굉장하다...
노리코.

바로
얼마 전만
해도
잘 걷지도
못했는데.

괴…

이 짧은
기간에
어마어마하게
성장했어…!!

…

말도
안 돼
…!

카시하라
선배를…?

저…
전멸딸이

…….

다운을
당했다고
…?!

전멸딸
따위
에게.

내…
내가

…결정했다….

이젠
죽여
버리겠어.

큭…
크크
크큭….

위
이
잉

반드시
죽인다.

여기서
죽인다.

죽을 때까지
죽인다.

지금
죽인다.

죽인다, 죽인다,
죽인다, 죽인다,
죽인다—.

—!!!!

끼야
아아
아아
아아
아아
아앗.

까야아
아아아아
아아아
아악!!!

까얏―!!

뭘 하는
거야,
카시
하라?!!

다운된
상대를
향한
공격은
규칙
위반인 거
몰라?!

감히
전멸딸
따위가…
주제도
모르고!

커억!!

그딴 건
내 알 바
아니지.

이건 날
웃음거리로
만든
벌이야!

……!

규칙
같은 건

그리고…

실전에는―

...아니,

저런 건 시합이 아니라고요!!

....

코치님! 어서 말려주세요!!

코치님?!

싸움은 이대로 속행한다.

진짜 실전은 이 정도가 아니야.

카시하라의 말대로다.

이대로 가다간 노리코가...

그게 무슨 소리예요?!

노리코가 죽겠어!!

타카야…

......

나는 필사적으로 연습이나 하는 평범한 것들과는 달라.

이제야 좀 내 실력을 알겠니?

왜 그러지, 전멸딸?!

아하하 하하핫.

들러리들은 암전히 바닥을 기기나 하면 되는 거야!!

아마노 역시 내 발 끝에도 못 미쳐!!

바로 나니까!!

진정한 오키 여고 No.1 파일럿은

카시하라
선배는
정말로
강해….

싸우고
나서…
뼈저리게
알게 됐어.

나는
카시하라
선배에게
지고 싶지
않아.

…하지만
그러니까
더욱

아무렇지 않게
타인을 짓밟는
사람은
우주 파일럿이
돼서는 안 돼.

설령
아무리
강하더라도

우주 파일럿은…
사람들을 구해주고
행복하게 만드는
역할….

마음의
힘이다!!

강함은
재능의
차이에서
오는 게
아니라

나는
그런
파일럿이
되어
보이겠어―.

진정한 파일럿은
착한 마음씨와
어떤 역경이
닥치더라도
결코 포기하지
않는 자세를
가져야 해―.

오 쌍 ……．

호…
호호호…
그런 손으로
뭘 할 수
있다는
거지…?

재미있는걸.

넌
반드시…

…기회는
딱 한 번뿐.

성공할 거라는
보장은
어디에도 없지만

때려
죽여버리겠어
어어어어어어
어어어어!!

승부다!!!!

NEXT STAGE

〈톱을 노려라!〉 용어 강좌

작중에 등장하는 〈톱을 노려라!〉의 키워드를
이곳에서 소개한다!!

이나즈마 킥

머신 병기를 회전시키며 펼치는 고도의 필살기. 중력 에너
지를 응용하여 적을 파괴한다.

우주 괴수

인류와의 대화를 거부한 채 공격해온 수수께끼의 생명체.
막 시작된 인류의 우주 진출을 방해한다. 자율적인 지성의
유무나 배후에서 제어하는 존재 등에 관해서는 일절 불명.

오키 여고

우주 괴수의 침공을 저지하기 위해 설립된 우주군 파일럿
양성 훈련교 중에서도 굴지의 명문교. 정식 명칭은 '지구
제국 우주군 부속 오키나와 여자 우주 고등학교'. 노리코와
카즈미가 우주 파일럿 훈련을 받기 위해 다니고 있다.

제국 우주군

지구 제국의 우주 방면을 담당하는 군사 조직. 제국의 공용
어는 일본어로, 군 간부도 일본인 중심으로 이루어져 있다.

버스터 머신

우주 괴수를 향한 직접 공격과 대규모 섬멸을 목적으로 개
발된 대형 병기. 유인 조종을 기본으로 하고 있다.

룩시온 함대

인류의 우주 진출과 개척, 항성간 항행 실험과 조사를 주요
목적으로 출항. 기함 룩시온의 지휘관은 타카야 제독이었
으나 사상 최초의 우주 괴수와 조우하여 함대는 전멸했다.

참고 문헌: 「톱을 노려라!」&「톱을 노려라2!」
　　　　　합체 극장판 팸플릿(집필자:히카와 류스케).

때려 죽여버리겠어 어어어어어어 어어어어!!

이 왼손으로는 섣불리 공격을 가해봤자 승산은 없어.

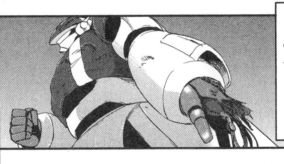

지금 내가 취해야 할 전법은

수비를 견고히 하며 찬스를 기다리는 것—!!

STAGE.05

죽어.

…그렇다면
혹시

카시하라
선배의
전투 불능
신호…

내가⋯

이긴 건가⋯?

키미코!

노리코,
이 바보!!
걱정이나
끼치고
말야…!

노리코!

걱정했는지
알아?

…미안.

얼마나

그… 그치만,
봐봐.
결과적으로는
이겼으니까….

…응,
알았어.

…응,
알았어.

부탁이니까
이제 위험한 짓은
하지 마….

파일럿이
돼봤자
죽으면
그게 다
무슨
소용인데?

약속한
거다…?

노리코,
축하해!!

…그럼
다시
말해줄게.

사실은…
그냥
흉내 내본
것뿐이거든.

연습
이라고
해야
하나…

그런 기술을
언제
연습한 거야?

마지막엔
정말로
굉장
했다니까.

성공해서
다행이야.

잘 될지
어떨지
자신
없었지만,

요 며칠간 때려넣은 기초 훈련을 응용해서.

응.

그냥 흉내 낸 것만으로 이나즈마 킥을 성공시켰다고?!!

이건 말도 안 돼!

그… 그런 걱정은ㅡ.

키미코에게 안 좋은 기억으로 남지 않을 수 있으니까.

하지만 진짜로 이겨서 다행이다.

카시하라 선배!

비겁하게.

분명 내 기체에 무슨 농간을 부렸던 게 틀림없어.

내가 전멸딸에게 진다는 건 있을 수 없는 일이니까!!

이런 승부는 무효야!

정정당당하게 한 번 더 승부해.

그만 단념해, 카시하라.

그걸 따지자면—.

이 승부는 너의 패배야.

!! 언니….

패배한 변명이 되지는 않아.

머신에 정비 불량이 있었다 하더라도, 그건 확인을 소홀히 한 너의 잘못.

무슨—.

설령…

승부의 세계에 두 번째는 없다.

네 입으로 말하지 않았어?

실전은 그런 거라고.

나는 카시하라 레이코야…

…인정 못 해….

….

나는 내 실력에 걸맞은 당연한 권리를 주장하고 있을 뿐이야!

머신에 탄 지 한 달밖에 안 된 1학년에게 진다는 건 있을 수 없는 일이잖아!!

오키 여고의 1, 2위를 다투는 실력자라고!!

부모 백으로 들어온 걸로도 모자라,

카시하라!! 바로 나라는 걸!! 그래, 오키 여고 대표에 어울리는 사람은 다른 학생들도 모두 그렇게 생각하고 있어.

나는 너의 실력도, 지금까지 해왔던 노력도

1학년 때부터 봐왔기에 잘 알아.

무슨 ㅡ. 카시하라.

...무,

나는….

나…는….

크윽….

그렇지는….

움찔

카시하라.

……

…껍질이라고…?

그래.

껍질을 깨부술 수만 있다면, 너는 앞으로 더욱 강해지겠지.

나는 네가 이런 곳에서 끝나버릴 사람이 아니라는 걸 알아.

카시하라 선배….

….

스스로 잘 생각해 보도록 해.

네가 그 껍질을 깨부수기 위해 해야 할 일이 뭔지

기회만 있으면 사사건건 실력의 차이를 과시해서

언제부턴가 노력하는 것조차 바보처럼 여기게 된 것도 전부 다 너 때문이라는 걸 알기나 해?

또 잘난 듯이 내려다보는 시선으로 지껄이고 있어….

껍질을 깨라고?

애초에 난 너도 마음에 안 들거든?

옛날부터 나 같은 건 라이벌로도 여기지 않았던 주제에.

그런데도 나에게 아직 잠재력이 남아있다고 …?

…그래, 그렇단 말이지.

타카야.

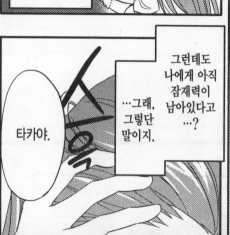

머신 병기전 세계 대회

장미의 여왕 아마노 카즈미

우주 전투의 천재

이번에는

내가
졌어.

그렇지만,
타카야!

예?
아,
저어….

이렇게
된 이상,
철저하게
강해져서

너…
이걸로
끝이라고
생각하지
않는 게
좋아.

그리고
히구치.

그…
사과할게.

…지난번에
너에게
심한 말을
한 것에
대해서

최대한
후회하게
만들어
주겠어…!!

다음엔
정정당당히,
정면에서
널 때려눕혀줄
테니까!!

저도
바라는
바예요!!

….

아,
앗…
네!!

자,
가자!!

다음에
붙을 때까지
각오
하도록 해.

축하해!
오키 여고
대표는
너로
결정됐어.

후훗…

솔직하지
못한 점도
변한 게
없네.

…타카야.

아…
네.

예?
아,
저어….

축하해,
타카야.

짝
짝

짝
짝

축하해!!

그리고
그것을
한눈에
간파한

코치님의
눈썰미….

이 아이의
숨겨진 실력은
상상을
초월하고
있어.

그래도 설마
이렇게 단시간에
미나즈마 킥까지
구사할 수 있게
될 줄은….

당신은
대체….

코치님….

다음 날—

우햐아 아아아 아아아 아앗.

어제 밤늦게까지 노는 바람에.

지각 하겠다 아아!!

어떡해, 어떡해!!

진짜 맛있었지.

…그치만 키미코가 만들어준 케이크

나중에 또 구워달라고 해야지.

항상 만나던 장소에 키미코가 안 나오다니.

이상하네….

하지만 그럼 연락이라도 했을 텐데….

내가 지각하는 바람에 먼저 간 걸까?

저기,

1 - 3

아, 으응… 고마워….

오키 여고 대표 취임 축하해!

있잖아, 그것 보다도

와아, 어제 시합 봤어!

잠깐 물어볼 게….

앗! 타카야다!!

히구치는 오늘 쉰다고 아까 선생님이 말했어.

—어?

으응... 아, 그러고 보니

히구치...? 오늘은 아직 못 본 것 같은데. 넌 봤니?

키미... 아니, 히구치는 왔어?

응, 맞아. 아침에 전화가 왔는데,

교 무 실

히구치가 직접 말했거든.

몸이 안 좋아서 며칠 쉬어야겠다고

가요...?

...그런...

뭔가
이상해—.

키미코…
쉰다면서
나한테는
말 한마디
안 하다니….

실례…
했습니다.

지금 거신
전화는 전원이
꺼져 있거나
회선 장애로
통화가
어렵사오니…

도대체
어떻게
된 거야?

키미코…!

카보챠's ILLUSTRATION GALLERY

연재 개시를 앞두고 저자가 그린 러프 일러스트를 공개!

■ 아마노 카즈미

■ 타카야 노리코

■ 카시하라 레이코

■ 히구치 키미코

STAGE.06

…나 있지…

점점
무서워지더라….

언젠가
노리코는
꿈을
이루고

내 곁에서
멀어져
가겠지.

그건 전부터
알고 있었어.
그런데도
이제 와서
현실을
받아들이는 게
힘들어져서…

마음을
정리하지
못하고
도망친 거야.

이런 짓을
해봤자
아무것도
변하지
않는데.

키미코….

…

…하지만,
그래도
나는….

우주의 끝까지 이어 보자는 꿈…

내가 파일럿, 키미코는 오퍼레이터가 돼서

…키미코,

난 우주로 갈게.

둘이서 그렇게 노력해 왔잖아….

그 꿈을 이루기 위해

언제나 바로 곁에서 키미코를 느낄 수 있으니까.

그도 그럴 게, 내가 파일럿을 목표로 하는 한

불안은 느껴지지 않아.

마음으로 이어진 사이잖아!

우리는 항상…

타카야.
자, 이거.

...!!!
고맙습니다!

뭔가요?
이게.

내가 주는
선물이야.

그리고
이것도.

...에?

으왓,
고...
고맙...

아...
하하하.

정말
고맙습
니다.

아쓰테카에
잠들지어다

그걸
안고 자면
숙면을 취할 수
있으니까

고맙게
여기도록
해.

안고 자는
우파루파
인형이잖아.

보고도
모르겠어?

그리고 이거…

열심히 해, 타카야.

에헤헷…

…애들아…!

내가 주는 선물.

날 떠올려 줘.

소중한 시간을 언제나 노리코와 같이 공유하게 해주세요

우주에 가면, 가끔씩이라도 좋으니까

…!!

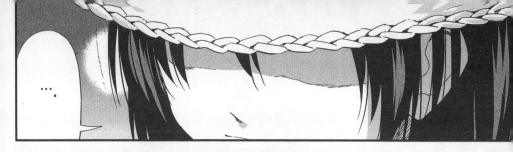

…. .

…흑.

…응….

…. .

왜, 히구치?

…노리코를….

코치님,

언니.

부디
노리코를

잘 부탁
드립니다…!

그렇지만….

나도
알아….

무슨 소릴
하는 거야…?
우리 엄마도
아니고….

자, 잠깐…
얘, 키미코.

그래.

걱정
하지 마.
타카야는
우리가ㅡ.

….

맡겨두도록.

…자 그럼,
키미코.

……

잘…
부탁
드립니다.

정말로

나
다녀올게.

키미코...

자,
간다!

하나
둘ㅡ

추억의
장소.

그리고
눈부시게
빛나던
시간들

여기서
만났던
멋진
사람들,

소중한
친구.

나는 평생
잊지 않을
거야....

다녀오겠습니다.

■TO BE CONTINUED...■

처음 뵙겠습니다. 카보챠라고 하는 놈입니다.

후기 만화를 그려보는 게 평생의 꿈이었어요.

〈톱을 노려라!〉에 대해서는 중학교 시절에 에바 오타쿠였던 친구가 같은 감독의 작품이라며

ㅡ사운드 트랙을 빌려줘서 처음으로 알게 됐습니다.

노력과 근성어 어엉

우파

갑자기 절규하기 시작해서 뭔 일인가 싶었다.

〈톱을 노려라!〉는 전설을 만든 작품인데다가 중후한 SF라서 저에게는 짐이 너무 무겁다고 생각했습니다만,

노력과 근성으로 어떻게든 해보겠습니다!

그리고 보면 이번 연재 전에도 다른 작품의 코미컬라이즈를 담당했었는데, 두 작품 모두 미소녀와 SF 그리고 어딘가에서 들어본 적 있는 제목까지 삼박자를 두루 갖췄더군요.

그럼 전 이만!!

2권에서 다시 만난다면 정말 좋겠네요!

스페셜 땡스
키우치 씨(담당 기자. 코치님!!)
사토 점장님(GAINAX 피규어와 이것저것 도움을 주셔서 감사합니다!)
사다모토 선생님
(디자인을 조정해주셨습니다. 감격스러워요…!)
마키모토 선생님
(연재 시작할 때 코멘트 해주셔서 감사합니다!)
어시스턴트님들
요시키 씨, 타코스 씨, 요시무라 씨 페어
언제나 고맙습니다!!!
마츠이 씨~~ 우파 고마워요,
그 밖에도 이 작품에 도움을 주신 분들&독자 여러분

톱을 노려라! 1

2024년 4월 23일 초판 인쇄 2024년 4월 30일 초판 발행

만화_ Kabotya **원작_** GAINAX

번 역_ 허윤 **발행인_** 황민호 **콘텐츠1사업본부장_** 이봉석
책임편집_ 장숙희/윤찬영/전송이/조동빈/옥지원/이채은/김정택

발행처_ 대원씨아이 **주소_** 서울특별시 용산구 한강대로 15길 9-12
전화_ 2071-2000 **FAX_** 797-1023 **등록번호_** 1992년 5월 11일 등록 제 1992-000026호

ISBN 979-11-7203-069-8 07830 ISBN 979-11-7203-068-1(세트)

TOP O NERAE! Vol.1
ⒸBANDAI VISUAL·FlyingDog·GAINAX
First published in Japan in 2011 by KADOKAWA CORPORATION, Tokyo.
Korean translation rights arranged with KADOKAWA CORPORATION, Tokyo.